KB103149

성장하며

성장하며

발 행 | 2024년 08월 08일
저 자 | 서해고등학교 인사동 동아리
펴낸이 | 한건희
펴낸곳 | 주식회사 부크크
출판사등록 | 2014.07.15.(제2014-16호)
주 소 | 서울특별시 금천구 가산디지털1로 119 SK트윈타워 A동 305호
전 화 | 1670-8316
이메일 | info@bookk.co.kr

ISBN | 979-11-419-5325-6

www.bookk.co.kr

성장하며

서해고등학교 인사동 동아리 지음

목차

2. 이스라엘 팔레스타인 전쟁에 대한 탐구

-이스라엘팔레스타인 전쟁 모의유엔 보고서

-팔레스타인과 이스라엘의 분쟁에 대한 생각과 국제사회의 문제점

-이스라엘 팔레스타인 전쟁에 대한 국제사회의 평화적 해결을 촉구한다.

-이스라엘 팔레스타인의 전쟁 속 피해자인 이스라엘

-이스라엘 팔레스타인 분쟁 해결을 위한 노력은 계속되어야한다.

-이스라엘-팔레스타인 분쟁: 타자의 존재

머리말
: 동아리 회장의 말

처음부터 삐걱거렸다. 신설 동아리인 것도 모자라 인원 수도 전교 동아리 중 꼴찌였다. 제대로된 계획도, 커리큘럼도 없었다. 정말 도무지 '망했다'라고 밖에 생각들지 않았다.

시련 속에서도 꽃은 피지 않는가. 나는 우리 동아리가 '망한' 상황 속에서도 발전을 해왔다는 데에서, 그리고 다른 동아리 못지않게 아니, 다른 동아리보다 더 열심히 활동을 기획하고 참여했다는 데에서 큰 의의가 있다고 생각한다.

동아리 개설 초기에 모두가 동아리에 대해서 물었을 때 나는 딱히 뭐라 대답을 할 수가 없었다. 우리 동아리는 무슨 동아리인지, 어떤 걸로 우리 동아리를 표현할 수 있다든지, 우리 동아리의 강점은 무엇이라던지, 동아리 회장이였던 나조차도 우리 동아리를 제대로 설명할 수 없었다. 그저 인문과 사회라는 광범위한 틀 안에 있는 어떠한 형체에 불과했다.

우리 동아리는 뭔가? 동아리 회장으로 활동하면서 나는 지속적으로 이 생각을 했다. 이 생각을 메꾸기 위해 나는 동아리의 주체성과 정체성을 찾으려 노력했던 것 같다. 동아리만의 특색활동, 여기 동아리에서만 할 수 있는 활동 등을 마련했다. 무엇보다 내가 마련한 활동에 대한 부원들의 적극적인 참여가 도움이 되었다고 생각한다. 처음부터 완벽했다면, 모든 게 계획 안에서 완벽하게 돌아갔다면 더 좋았을지도 모른다. 생기부 채우기에도, 겉에서 보기에도 때깔은 좋았을 것이다.

그러나 나는 우리 동아리가 완벽하지 않았음에 의의를 둔다. 완벽하지 않다면 완벽하게 만들어라. 내가 좋아하는 명언 중 하나임과 동시에 우리 동아리에 어울리는 말이지 않나 싶다. 우리 동아리는 완벽하지 않았지만 완벽을 향해 달려갔기에 의미가 있었다. 지속적으로 발전했고 성장했다. 그리고 이 책에는 우리 동아리의 한 학기 동안의 성장에 대한 투쟁을 담았다. 신설에다가 인원도 제일 적었던 동아리지만 나는 우리 동아리가 그어느 동아리와 비교해도 성장에 대한 열정은 높았다고 회장으로서 자부한다.

동아리 활동으로서 책을 내지만, 내가 가장 고민했던 바는 우리가 책을 내는 것이 독자들에게 어떤 의미로 다가갈까이다. 대학생도 아니고 전문작가도 아니며 관련 분야 전문가도 아닌, 일반고등학교 소속 정규동아리의 평범한 고등학생들이 쓰는 글이 사람들에게 어떤 의미로 다가갈까. 앞서 언급한 바와 같이 이 책은 아주 평범한 고등학생이 쓴 책이다. 특목고생들도 아니고 글에 뛰어난 재능이 있는 학생들도 아니고 정말 평범한 고등학생 말이다.

나는 이 나름대로 의미가 있다고 생각한다. 아니, 우리가 평범한 고등학생이기에 우리가 성장하는 모습을 더 잘 표현할 수 있었다고 생각한다. 각자의 관심분야와 진로특색을 각자의 글로 표현해냈고 이를 통해 우리의 성장을 드러낼 수 있었다.

많은 도서들과 웹툰, 드라마 등에서는 고학력자나 재벌들, 그것도 아니라면 연예인에게만 지나친 관심을 갖고 다루지 않나 싶다. 나는 일반적인 '평범한 사람들'에 대해서도 다루었으면 좋겠다싶었다. 우리 사회의 다수를 차지하는건 아주 일반적인 사람들인데 왜 이들은 도서, 웹툰, 드라마 같은 창작물들에서 배제되어야하는가. 이 시대를 살아가고 있는건 평범한 사람들인데, 왜 마치 일부의 사람들이 이들을 일반화하는가. 나는 창작물에 평범한 사람들이 더 많이 영향력을 끼치려면 평범한 사람들이 행동하는 것이 가장 중요하다고 생각한다. 그리고 평범한 고등학생들이 쓴 이 책은 평범한 사람들이 창작물에 등장하는 데에 작지만 큰 발걸음이 될 것이다. 이 책으로서, 독자들이 평범한 사람들, 그 중에서도 꿈에 도전하는 평범한 고등학생들에 관심 가졌으면하는 바램이다.

서해고등학교 인사동 동아리회장 전민석

1부. 우리들의 진로탐구

동아리 부원들 각자가 자신의 진로와 관련하여 글을 작성하였다.

베스트셀러 작가들이 말하는 글쓰기 방법

글을 잘 쓰는 건 당연히 초보자에게는 어렵다. 하지만 글을 쓰는 것을 직업으로 갖는 작가들도 마찬가지이다. 여러 작가들이 입을 모아 하는 말은 노력이다. 어떤 글을 쓰던 간에 첫 줄이 시작되지 않으면 그 무엇도 성립되지 않는다. 하지만 노력을 한다고 해서 모두 성공 하는 것도 쉽지 않다. 그래서 성공한 여러 작가들은 우리에게 몇가지 조언을 해주었다.

<노인과 바다>, <무기여 잘 있거라>의 저자 어니스트 헤밍웨이는 '모든 초고는 쓰레기다' 라고 하였다. 초고를 쓸 때는 쭉 써내려가고 그 후에 수십번을 고치고 또 고치는 것이다. 실제로 <무기여 잘 있거라>에서 마지막 페이지까지 총 39번 수정 했고 결말을 47가지를 만들어 두었다고 한다.

<쇼생크 탈출>, <IT>의 저자 스티븐 킹은 글을 쓰고 싶다면 책을 많이 읽고 많이 쓰라고 강조했다. 위에서 언급한 노력과 같은 말이고 진부하기

짝이 없을 수 있지만 가장 확실하게 실력이 느는 방법이기도 하다. 나 또한 예전에 쓴 글과 비교적 최근에 쓴 글을 비교하면 실력의 차이가 몇몇 보이기 때문에 하는 만큼 실력도 는다 라는 말이 생각이 들기도 하였다.

글을 쓰면서 부족하고 까다롭다고 느끼는 것이 여러 가지 있지만 그 중에서 까다로운 것 중 하나는 스토리텔링이다. 번뜩이는 상상력을 요하기도 하고 잘 잡혀있는 설정으로 글을 써 나가며 이야기를 이끌어 나가는 중추와 같은 역할이기 때문이다.

픽사의 스토리텔러인 매튜는 스토리텔링을 강조하는 이유를 인간이 듣고 다시 말하는 것을 좋아해 유튜브, 인스타그램 등등을 즐겨한다고 했다. 그는 스토리텔링에는 두 유형이 있다고 말했다. 계획가와 경주마의 종류가 있고 계획가형은 플롯을 짜고 촘촘하게 글을 쓰고 경주마형은 계획 없이 글을 써내려가는 스타일이라고 한다.

두 방식 모두 틀린 것이 아니며 두 유형 중에 자신이 해당하는지 파악하는 것이 중요하다고 하며 스토리텔링에서 감정을 전달 할 때 감정을 강요하지 말라고 덧붙였다. 좋은 글은 감정을 강요하는 게 아닌 독자를 이야기에 초대하는 것처럼, 손님을 대하는 것처럼 섬세하게 표현해야한다.

이 방법들이 추상적이라면 A-B-C 스토리 법칙이 있다. A라는 스토리가 전체의 60%, B 스토리를 30%, C에 10%를 이끌며 세 개의 이야기를 실로 엮듯이 이야기를 진행해 나간다면 어렵지 않게 스토리 라인을 짜서 이야기를 이끌어 나갈 수 있다.

위와 같은 방법들을 잘 활용해서 글을 쓴다면 더 나은 글 실력으로 학교 글쓰기뿐만 아니라 진로 분야로도 나아갈 수 있다.

글을 쓰는 것은 자신의 생각을 정확하게 설명하고 소통 할 때 또한 글쓰기가 중요해졌다. 또한 인터넷 사용이 증가하여 서로 글로써 소통을 해야하고 소통의 오류를 줄이기 위해 현대 디지털 시대에서의 글쓰기 능력이 더욱 각광 받고 있다.

심리학 교수인 조던 피터슨은 이렇게 말했다. 글쓰기는 생각하는 법을 배우기 위해 하는 것이며 생각을 제대로 하면 더 효과적으로 우리가 무언가를 대처할 수 있게 될 수 된다. 그러므로 글을 써는 법을 배워야 한다.

시련을 마주한 꽃이란,

나는 작가를 꿈꾼다. 하지만 처음부터 작가를 꿈꿨던 건 아니었다. 난 5살 때부터 미술을 그렇게도 하고 싶었다. 그래서 미술학원에서 그림을 그릴 때가 제일 행복하기도 했다. 하지만 어쩌다 보니 그만두게 되었고 나는 한동안 연필을 잡지 않았다. 그러자 부모님께서 내게 하셨던 말씀이 "너 정말 미술하고 싶은 거 맞아?" 였다. 나는 그 말을 듣고 강제적으로라도 내 맘을 돌려야겠다고 생각했다.

그러자 바로 눈 앞에 보였던 사람은 다름아닌 작가였다. 그 이후로부터 나는 작가를 꿈꿨고 현재도 작가 지망생이 되었다. 사실 나는 이제까지 내가 꿈꿨던 것은 예술을 하는 사람이었다. 한번도 직장에 다니면서 돈을 버는 직업을 꿈꿔본 적은 없다.

나는 틀이 정해져 있는 것을 싫어한다. 그래서 틀이 정해져 있고, 정해진 업무에 따라 무언가를 또 해야하는 그런 것이 너무 싫었다. 하지만 예술은 그게 아니었다. 정해져 있는 틀 없이 내가 원하는 것, 표현하고 싶은 것들을 마구 표현해 낼수 있는 것들이었다. 세상을 살다보면 틀이 정해져 있들이 생각보다 많은 것을 알수 있다. 그 중의 하나는 모두가 한번쯤은 겪어야 하는, 학교이다. 학교에서는 정해진 과목, 음식, 옷, 그리고 정해진 과제들 등을 해야한다. 또 그런학교가 끝나면 학원에 가니 학생들은 숨 쉴만한 틈이 없다. 그런 것을 별로 좋아하지 않는 나로써는 빨리 벗어나고 싶은 것중에 하나이고 나 이외에도 셀 수 없는 학생들이 바라고 있는 것중에 하나 일 것이다.

만약 나의 진로가 바뀌게 되더라도 예술이라는 영역 안에서 내가 표현할수 있는 것들을 표현해내며 성장하고 싶다. 그래서 작가는 글로 본인을 표현 해낼수 있다. 처음엔 쉽지 않겠지만 점점 표현 방법, 단어, 그리고 그 양이 점점 늘어나고 성장하며 자유자재로 글을 쓸 수 있을 것이다.

작가뿐만이 아닌 모든 직업들이 그렇다. 본인들만의 분야에서 계속 무언가를 시도하고 노력하다보면 어느새 그 분야에서 성장하고 성숙해져 있는 본인을 마주할수 있을 것이다. 어떠한 시련 없이 아름답게 피어날 수 있는 꽃은 없다. 그렇기에 어떠한 시련이라도 마주하고 견디다 보면 그 누구보다 아름답게 피어난 자신을 만날 수 있을 것이다.

프랑스 드골주의와 대한민국

최근 2024년에 들어서 우크라이나러시아 전쟁, 대만중국 문제 등 국제 사회 속에서 여러 위기들이 연이어 발발하고 있다. 여러 뉴스들을 접하던 가운데, 나는 프랑스의 외교적 행보가 눈에 들어왔다. 신냉전 구도가 또렷해지는 가운데, 프랑스 마크롱 대통령은 나토 도쿄사무소 개설을 반대하며 나토의 확장을 막는가하면, 중국 시진핑 주석과 정상회담을 나누며 전략적 자율성을 내세우며 미국을 견제하는 모습을 보이기도 했다. 또, 대만 갈등에서 미국을 추종하지 말아야한다며 다소 친중적인 모습과 함께 다른 서방 국가들의 입장과는 남다른 행보를 보이고 있다. 나는 이런 프랑스의 외교적 행보의 원인이 무엇인지 궁금해졌다. 유럽에서 군사적으로도, 외교적으로도 막강한 영향력을 행사하는 프랑스가 외교적으로 남다른 선택을 한 이유는 무엇인가?

이에 대해 탐구해보려면 우선 프랑스의 '드골주의'를 알아야한다. 프랑스 전 대통령 샤를 드골이 정치활동을 할 당시에 프랑스는 알제리, 베트남과의 전쟁에서 패배를 하였으며 2차 세계대전 직후로 전후 복구가 시급한 상황에 놓여있었다. 이러한 상황에서 군인 출신이였던 샤를 드골이 대통령으로 당선되었고 그는 대외개방 조치를 시행하여, 서방 국가 중에서 가장 먼저 중화인민공화국과 수교를 하고 나토를 탈퇴하였으며 독립적으로 핵무기를 개발하기도 하는 등 다소 독립적이고 국익을 우선시 하는 외교정책을 펼쳤다.

그리고 그의 외교 정책은 오늘 날의 프랑스 외교에도 영향을 끼치고 있다. 현재 프랑스 대통령인 마크롱 대통령을 비롯하여 여러 역대 프랑스 대통령들은 드골주의 외교를 펼친 바가 있다. 여기서 중요한 점은, 특정 정당이나 특정 정파가 드골주의 노선을 취하는 것이 아닌, 정파나 정당을 가리지 않고 대부분의 정치인들이 드골주의 외교 노선을 지지하고 있다는 점이다. 프랑스의 이러한 드골주의 외교 정책은 프랑스와의 외교를 주도하는 데에 필수적으로 고려해야할 요소이기도하다.

그렇다면 프랑스의 드골주의 외교를 보고 우리나라에서 배워야할 점은 무엇인가. 우선적으로 우리나라는 프랑스 드골주의 외교와는 다소 거리가 있는 외교 정책을 펼치고 있다. 한국전쟁 이후 70년 넘도록 미국과 강력한 군사동맹을 맺고 있으며 전

작권 또한 한미연합사에게 있다. 경제적인 면에서도 중국보다는 미국과 무역비중을 높이고 있다. 이로 인해 여러 위기도 발생하고 있다. 트럼프 대통령 당선 당시, 방위비 문제로 미국과 갈등을 겪기도 했으며, 한미 FTA로 농업계가 타격을 받기도 하였다. 이러한 상황에서 드골이였으면 어떻게 하였을까?

나는 우리나라가 북한과의 특수적 상황에 놓여있으며, 중국과 미국의 신냉전의 최대 접전지에 있다는 점을 감안할 때, 점진적으로 드골주의 외교노선을 추진할 필요가 있다고 생각한다. 특히 경제 분야 뿐만 아니라 안보분야에서가 시급한데, 드골의 발언 중에 다음과 같은 말이 있다. "파리를 위해 뉴욕을 희생할 수 있습니까?" 드골이 프랑스의 독자적 군사(핵무기) 개발을 위해 미국의 안보 보장을 의심하며 했던 발언이다. 이 발언이 발설된지 70년이 다되어가는 오늘날, 한반도에서는 한국판 드골이 필요하다. "서울을 위해 뉴욕을 희생할수 있는가" 과연 외국의 군사력에 우리나라 안보를 맡겨도 되겠는가. 사실 박정희 정부부터 노무현 정부, 그리고 문재인 정부까지 우리 현대사에서 자주 국방은 지속적으로 시도되어왔었다.

다만 우리나라가 독자적으로 독립된 외교적 노선을 취하고 독자적 국방을 강화한다는 것이 당장은 현실적으로도, 그리고 상황적으로도 어려울 수있다. 그러나 우리나라 땅을 우리가 지키는 것은 우리가 해야될 권리이자 의무이다. 또한 국제사회의 신냉전 갈등의 중심에 있는 우리나라가 특정 국가의 입장을 부추기는 것보다 독자적으로 국익위주의 외교를 추진함으로서 신냉전을 평화로 이끄는 선구자가 되어야한다.

사회적 약자를 보호하기 위해 마련된 우리 사회 속 법과 제도들, 그리고 우리의 역할

우리 사회는 다양한 사람들로 구성되어 있다. 그러나 이들 중에서는 사회적으로 약한 위치에 있는 이들이 있다. 사회적 약자는 신체적, 정치적, 경제적, 사회적, 문화적으로 소외되거나 열악한 위치에 있어, 인간으로서 당연히 누려야 할 존엄성이나 기본 권리를 누리지 못하거나 인간다운 삶을 영위하는 데 어려움을 겪는 개인이나 집단을 가리킨다. 일반적으로 우리 사회는 저소득층, 장애인, 노인, 어린이, 외국인 노동자 등을 사회적 약자로 보고 있다.

우리나라는 헌법 제34조에 '모든 국민은 인간다운 생활을 할 권리를 가진다. 국가는 사회보장, 사회복지의 증진에 노력할 의무를 진다. 노인과 청소년의 복지 향상을 위한 정책을 실시할 의무를 진다. 신체장애자 및 질병, 노력 기타의 사유로 생활능력이 없는 국민은 법률이 정하는 바에 의하여 국가의 보호를 받는다.' 와 같은 내용을 명시함으로써, 국가가 사회적 약자를 보호해야 할 의무가 있음을 규정하고 있다.

그렇다면, 우리 사회 속에는 사회적 약자들을 보호하기 위해 어떤 법과 제도들이 마련되어 있을까?

먼저, 신체적 어려움으로 인해 사회적 약자로 여겨지는 '장애인'의 권리를 보호해 주기 위한 정책으로는 '장애인 의무 고용제'가 있다. 장애인 의무 고용제는 1991년, 장애인의 고용을 촉진하기 위해서 국가와 지방자치단체, 민간 기업의 의무 고용을 법으로 정하고 이를 충족하지 못하면 고용 부담금을 납부하도록 한 제도로, 장애인이 그 능력에 맞는 직업생활을 통하여 인간다운 생활을 할 수 있도록 장애인의 고용 촉진과 직업재활 및 직업안정을 도모함을 목적으로 한다.

또한 경제적 어려움으로 인해 사회적 약자로 여겨지는 '빈곤층', 즉 '저소득층'을 보호하는 정책으로는 '국민 기초 생활 보장 제도'가 있다. 국민 기초 생활 보장 제도란 가족이나 스스로의 힘으로 생계를 유지할 능력이 없는 절대빈곤층 국민들에게 생계, 교육, 의료, 주거, 자활 등의 기본적인 생활을 국가가 보장해 주는 제도로, 사회적 약자들의 기본적인 생활 안정과 균형적 사회를 만드는 것을 목표로 둔다.

뿐만 아니라 성별, 나이로 인해 사회적 약자로 여겨지는 '여성'과 '노인'을 보호하기 위한 제도로는 각각 '여성 고용 할당제'와 '기초 노령 연금' 등이 있다. 여성 고용 할당제란 여성이 불평등한 취업 기회를 경험하는 것을 완화하고, 여성이 경제적으로 독립적이고 사회적으로 참여할 수 있는 기회를 제공하기 위한 정책으로, 여성의 경제적 독립과 사회 참여 촉진, 여성에 대한 성 평등과 인식 변화를 목적으로 둔다. 기초 노령 연금 제도란 노후에 경제적으로 취약한 사람들을 지원하고 사회적 안전망을 제공하기 위해 마련된 정책으로, 경제적으로 취약한 노인들의 노후 생활 안정을 보장하고, 빈곤층을 지원하여 사회적 안정과 포용을 증진하는 데에 목표를 둔다.

이러한 국가의 노력과 더불어, 우리 개개인도 더 공정하고 차별 없는 사회를 만들기 위해 노력할 수 있다. 사회적 약자가 존재하지 않도록 하는 것은 불가능하지만, 주변 환경에 의해 사회적 약자가 더 약해지지 않도록 돕는 것은 가능하다.

먼저, 우리는 현재의 삶에 감사하며, 타인을 이해하고 배려하려는 마음가짐을 가져야 한다. 서로 다른 배경과 상황을 존중하고 인정함으로써 사회적으로 다양한 모습을 받아들일 수 있다. 또한 학생의 신분에서 할 수 있는 노력이 그리 크진 않겠지만, 사회적 약자에게 차별로 느껴질 수 있는 부당한 법과 제도를 비판적으로 수용하고, 변화시키려는 의지를 지니려면 실생활 속에서 정치와 법에 큰 관심을 가져야 한다. 정치와 사회 문제에 관심을 가지고, 우리 사회 속에서 내려지는 다양한 결정들과 제도의 시행에 집중하다 보면, 사회적 약자를 보호하기 위한 더욱 세심하고 따뜻한 시선을 기를 수 있을 것이다. 더불어 우리는 차별과 편견을 극복하기 위해 꾸준한 노력을 기울여야 한다. 자신의 선입견을 돌아보고, 평등과 인권을 존중하는 태도로 사회적 약자들의 목소리에 귀기울여야 한다. 개개인의 이러한 노력이 모인다면, 우리는 서로를 이해하고 함께 성장해 나가는 사회를 만드는 데에 기여할 수 있을 것이다.

세상에는 다양한 사람들이 존재하고, 모두가 함께하는 공정하고 따뜻한 사회를 만들기 위해서는 우리 모두의 노력이 필요하다. 인간의 존엄성을 보장하고 사회적 평등을 실현하는 더 나은 사회를 만들기 위해 사회적 약자를 바라보는 시선과 우리의 행동을 조금씩 바꿔보도록 하자.

대한민국의 도돌이표

수많은 변수가 작동했던 제 22대 국회의원 선거가 제 21대 국회와 같은 여소야대 구조로 이어지게 되었다. 정권 심판론을 내세우며 유세를 펼쳤던 범야권은 목표했던 국회 200석을 달성하지 못했다. 그러나 다수의 국민들이 여당과 정부를 긍정적으로 바라보고 있지 않다는 것을 일깨웠기에 여론은 야당의 거대한 승리라고 평가하고 있다. 여당과 제1야당의 총선 전반적인 과정과 총선 이후 행보에 대해 살펴보고자 한다.

이번 총선에서 가장 관심 받았던 제 3지대는 민주당계와 보수정당계로 국회가 나눠진 것으로부터 불만을 가진 의원들이 자발적으로 탈당하여 신당 창당을 선언한 것으로부터 시작되었다. 여당과 제1야당 모두 분당이 생성되어 표가 분산 될 가능성이 커졌으며 각 분당들은 같은 목적을 가진 것 같았기에 합당여부를 가지고 의견을 나누었다. 그러나 결국 합당은 무산되었고 총선에서 각 분당들은 좋은 성과를 이루어내지 못했다. 한국의 거대 양당에 새로운 바람을 불러일으킬 것 같았던 여당과 제1야당의 분당들은 득표율이 증명하듯 그 의미가 변질되었으므로 다음 총선에선 투표용지 속 그 이름을 볼 수 없을 것이라는 추측이 가능하다.

제1야당인 민주당은 공천과정에서 수많은 갈등과 잡음이 발생했다. 다선의원과 현역의원이 공천을 받지 못하는 상황이 나타났다. 공천을 받지 못한 의원들은 "당 대표에게 비협조적인 태도로 일관한 집단은 공정하지 않게 평가받았다"라는 비슷한 주장을 내세웠다. 그러나 민주당에서 공천을 받지 못한 몇몇 의원들은 탈당한 후 여당으로 이적하였다. 다시 말해, 민주당은 최소한의 정치적 윤리조차 짓밟은 채 당을 떠난 사람들을 탈락시켜 결과적으로는 이득을 보았다. 이러한 면에서 현재까지도 민주당 공천시스템의 공정성에 대해 의문을 제기하고 있는 사람들은 거의 없다. 여당의 공천과정은 민주당에 비해 상대적으로 조용했다. 현 정부의 전 법무부장관을 지낸 인물이 여당의 비상대책위원장을 맡아 공천을 주도하였다. 선거가 끝난 후, 여당의 총선참패 원인을 이 점에서 찾고 있는 여당 의원들이 존재하나 당시에는 민주당의 잡음에 묻혀 그리 문제가 되지 않았다.

총선 전, 정부는 여당에게 약점이 될 만한 논란들을 제공했다. 정부는 채상병 사건에 외압의혹이 있는 전 국방부장관을 호주대사에 임명하여 도피할 수 있는 구실을 만들어줬다. 그에 이어 물가상승률의 폭이 점점 커지는 한국경제에 무관심한 언행을 하였고, 공식석상에서 정부를 비방하는 사람들의 입을 틀어막는 과도한 경호 및 자유를 억압시키는 행동으로 인해 수많은 국민들이 현 정권에 등을 돌리는 계기가 되었다. 범야권은 정부의 행동을 비난하며 정권심판론을 내세웠고 국민의 많은 공감을 얻었다. 여당 내에서는 정부의 태도를 감싸는 사람과 비판하는 사람으로 나뉘었고 당연하게도 의견을 하나로 수렴시키기 어려웠다. 따라서 여당의 모호한 태도가 총선패배의 원인 중 하나라고 평가한다.

총선결과가 곧 중간평가였던 정부는 낙제성적표를 받았다. 선거 후, 현 정부는 출범 2년 만에 영수회담을 진행하였다. 역대 정부 중 가장 느리고 폐쇄적인 영수회담이었지만 그마저도 일주일을 넘기지 못하고 의미가 퇴색되었다. 범야권은 총선에서 승리하여 대통령이 거부권을 행사했던 법안을 21대 국회에서 처리 할 것임을 밝혔다. 5월 2일, 채상병 특검법은 민주당 단독으로 본회의를 통과했고 이태원참사 특별법은 여•야당 합의를 거쳐

처리되었다. 그러나 정부는 또다시 재의요구권을 시사하고 있다.

총선 과정과 결과를 통해 전우용 사학자의 말을 되새기게 되었다. '민주주의는 자전거를 타고 오르막길을 가는 것과 비슷하다. 전진하기는 어렵지만, 잠깐이라도 페달에서 발을 떼면 순식간에 뒤로 밀려난다.' 한국에서 민주주의를 발전시키는 것에 무관심한 사람들이 권력을 행사하는 것에 많은 국민들이 경각심을 가져야한다고 생각한다.

세계의 종교적 영토적 분쟁

요즘 시대에도 종교적인 대립과 영토 분쟁의 전쟁이 있다. 하지만 이 사건들은 현대에 와서 시작된 것이 아닌 먼 옛날 유럽이나 중국(당)에서부터 시작되었다. 당시 17세기 중반, 30년 전쟁이 벌어졌을 때, 유럽 전체가 전쟁의 파장으로 인해 피폐한 상태였다. 이전에는 종교적인 이유로 시작된 전쟁이었지만, 시간이 흐름에 따라 국가 간의 권력 경쟁과 영토 확장을 중심으로 전쟁의 성격이 변화했다.

30년 전쟁은 1618년부터 1648년까지 이어졌다. 이 기간 동안 유럽 대륙은 파괴와 살해로 인한 엄청난 피해를 입었다. 이 전쟁은 당시의 유럽 지도를 완전히 바꾸었으며, 종교적인 갈등과 국가 간의 정치적인 이해관계를 재정렬하는 계기가 되었다.

30년 전쟁의 시작은 1618년 체코의 프라하에서 발생한 보헤미아 반란으로 거슬러 올라간다. 이 반란은 교황이 만든 임시 규정에 반대하는 보헤미아 귀족들의 반란으로 시작되었다. 그러나 이것은 곧 종교적인 갈등으로 번져 갔다. 1625년에는 헤

르만 2세가 이스파니아에게 도움을 요청하여 카톨릭교 신자들을 지원받았고, 이로 인해 유럽의 다른 국가들도 전쟁에 개입하게 되었다.

이러한 복잡한 상황에서, 종교적인 이유로 시작된 전쟁이 더 이상 종교적인 의미를 가지지 않았다. 영국, 프랑스, 네덜란드 등 유럽의 다른 국가들은 이들 전쟁을 기회로 잡아 권력과 영토를 확장하기 위해 개입하였다. 결과적으로, 1648년의 서유럽에 이르는 웨스트팔리아 조약은 종교적인 자유와 국가의 주권을 인정하는데 큰 영향을 미쳤다. 또한 이 전쟁은 국제 정치에서 종교적인 이익보다 국가 간의 권력과 이익을 우선시하는 시대의 시작을 알렸다.

ESG 경영의 도입과 지구를 위한 우리 모두의 책임

ESG가 무엇일까? 기후 변화, 자원 고갈 등의 환경 문제가 심각해지면서 기업의 환경적 책임이 중요해졌다. 정부와 규제 기관들은 환경 규제를 강화하고, 기업들은 이에 대응하기 위해 환경 관련 성과를 개선해야 할 필요성을 느끼게 되었다. 이러한 배경에서 등장하게 된 개념이 ESG 경영인데, ESG란 Environmental, Social Governance의 줄임말로, Three key elements for companies to achieve sustainable business를 말한다. E, environmental은 심각한 기후 위기로 인해 탄소배출량을 줄이는 데에 힘쓰고, 생태계의 생물다양성에 관심을 가지고, 책임있는 소비를 중요시하는 가치를 말한다. S, Social은 기업이 인권 보장과 데이터 보호, 다양성의 고려, 공급망 및 지역사회와의 협력관계 구축에 힘쓰는 가치를 말한다. 마지막으로, G, Governance는 이러한 환경과 사회 가치를 기업이 실현할 수 있도록 뒷받침하는 투명하고 신뢰도 높은 기업의 형성을 위해 노력하는 가치를 말한다.

그렇다면, ESG가 중요한 이유는 무엇일까? ESG가 우리 사회와 기업에게 중요한 가치로 다가오게 된 계기는 크게 두 가지로 나누어진다. 먼저, 기후 위기로 인해 탄소배출량 감축이라는 목표가 생성되고, 이로 인해 지속가능성이라는 가치가 중요해졌다. 또 다른 계기로는, Millennials Generation의 가치 소비이다. Millennials Generation의 등장 이후, 사회는 친환경적인 상품과 환경을 지키는 소비를 중요시하기 시작했다. 이로 인해 사회 및 환경 문제를 해결하기 위해 노력하는, ESG 경영 방식을 도입하고 있는 기업들이 소비자들로부터 큰 주목을 받게 된 것이다.

ESG 경영 방식을 도입한 후 훌륭한 성과를 낸 기업에는 무엇이 있을까? 첫 번째 기업은 '풀무원'이다. 풀무원은 환경관리시스템을 표준화하고 온실가스 배출량을 관리하는 등 환경 개선에 주의를 기울이고 있어 환경 부문에서 좋은 평가를 받고 있다. 특히, 2019년에는 자사 제품에 친환경 포장을 도입하면서, 이후, 풀무원의 모든 제품에 100% 재활용이 가능한 포장재 사용을 계획하기도 하였다. 두 번째 기업은 'Kakao'이다. KCGS의 평가에서 2021년 기준, 카카오는 통합 A 등급을 받았다. 사회 부문은 A+ 등급, 지배구조 부문은 A 등급을 받았는데, 특히 환경 부문에서는 지난 해보다 세 등급이나 상승하여 A 등급에 오른 것이 눈에 띄는 부분이다. 작년 1월부터 ESG위원회를 신설하여 ESG 경영 강화에 힘을 쓰겠다고 밝히면서, 기업의 약속과 책임활동을 담은 보고서를 발간하기도 하였다. 마지막 기업은, 'LG'이다. LG는 '모두의 더 나은 삶을 지향한다' 라는 비전에 따라, LG는 긍정적인 환경가치와 포용적인 사회가치를 추구하고 있다. 또한 LG생활건강은 '2021 다우존스 지속가능경영지수(Dow Jones Sustainability Indices)' 평가에서 국내 화장품업계 최초로 'DJSI World' 지수에 4년 연속 편입되면서 주목을 받고 있다.

이 글을 통해 내가 말하고자 하는 바는 다음과 같다. 최근 ESG 경영이 기업들 사이에서 활발히 도입되고 있는 가운데, 개인의 환경적 책임 또한 그 중요성이 더욱 부각되고 있다. 기업의 지속 가능한 경영이 우리 사회와 지구의 미래를 위해 필수적이지만, 이를 뒷받침하는 개인의 실천 없이는 진정한 변화를 이루기 어렵기 때문이다. 우리는 매일 선택을 하며 살아간다. 이 선택들이 모여 환경에 큰 영향을 미친다는 점을 인식하는 것이 중요하다. 예를 들어, 플라스틱 사용을 줄이기 위해 일회용품 대신 재사용 가능한 제품을 선택하고, 에너지를 절약하기 위해 불필요한 전기 사용을 줄이는 작은 행동들이 모여 큰 변화를 만들어 낸다. 기업이 ESG 경영을 통해 지속 가능한 미래를 위해 노력하는 만큼, 개인 또한 자신의 환경적 책임을 다할 때 진정한 변화를 이끌어낼 수 있다. 우리의 작은 실천들이 모여 기업의 변화를 촉진하고, 나아가 사회 전체의 지속 가능성을 높이는 데 기여할 수 있다. 우리는 모두 이 지구의 구성원으로서, 더 나은 미래를 위해 지금 이 순간부터 실천해야 한다. 개인의 환경적 책임이 곧 우리의 미래를 밝히는 길이기 때문이다.

승무원에게 무례한 승객

최근 들어 승무원에게 무례한 승객들이 많아지고 있다 여러 기사들 중 어떤 한 항공사에서 한 미국인 남성이 비행기에서 승무원의 머리를 주먹으로 때리는 사건이 나타났다. 남성은 비행기에 살인자 10명이 타고 있다며 소란을 피우고 일등석 빈 좌석으로 자리를 옮기는 행동들을 하였고 승무원은 남성에게 경고를 하고 돌아가던 승무원을 뒤쫓아가 승무원의 머리를 주먹으로 때리는 무례한 승객들이 많아졌다.

이뿐만 아니라 미국에 어떤 항공사에서 승객은 비행기에 타자마자 자기 자리 옆에 자리가 비어있지 않다며 불평을 호소하자 승무원은 급하게 다른 비상구자리로 이동시켜주었지만 그 또한 불만이 가득하였고 식사시간에는 원래 있던 기내식이 아닌 다른 기내식들을 요구하며 승무원을 힘들게 하였고 그 승객은 비행기가 착륙할 때까지 승무원들에게 불만을 가졌고 비행기가 착륙하고 승객은 책을 승무원 눈두덩이에 책을 던지는 사건이 벌어졌다.

나는 이런 많은 기사들을 접하면서 승객들은 승

무원들에게 함부로 대한다고 느껴졌다.

최근 2023년 6월에 한 뉴스기사에 따르면 미국, 영국승무원들은 승객들이 승무원들에게 무례하거나 불쾌하게 여기는 행동 세 가지를 뽑은 기사들이 있다. 첫째 사소한일로 승무원 긴급호출 버튼을 누르는 것이다 긴급호출버튼은 위급한 상황에만 누르는 것인데 승객들은 사소한 음료수를 요청하거나 아이와 긴급호출버튼으로 장난을 치는 사소한 일들로 호출을 하여 승무원 힘들게 하였고 두 번째는 과도한 신체접촉이다 한 승무원이 "전에 손가락으로 쿡 찔리거나 꼬집힌 적도 있다"며 승무원들은 호소했다 마지막으로 그는 승객들의 민폐 행동으로 '승무원에게 소리치는 것'을 꼽았다. 마지막으로 그는 승객들의 민폐 행동으로 '승무원에게 무례하게 행동하는 것'을 꼽았다. 그는 "우리들에게 소리를 지르거나 우리가 아랫사람인 것처럼 행동해서는 안된다"며 "이는 매우 무례하고 불쾌한 것"이라고 밝혔다.

이처럼 많은 기사들을 접하면서 승객들이 승무원에게 무례한 행동을 많이 하고 있다고 느껴진다. 승객의 폭언 폭행 무례한 행동은 승무원의 안전을 위협하고 정신적인 스트레스로 이어질 수 있다 앞

으로는 승무원에게 존중하는 태도와 예의를 가추
는 것이 중요하다고 생각한다

더불어 사는 세상을 바라는 것은 위선인가?

과거에 집착했던 집단주의적 사고는 무수히 많은 파편으로 쪼개져, 그 파편들은 개인주의로 물들고 있다. 개인주의적 사고의 확산으로 인해 사람들은 세상일보다는 '나'라는 존재에게 집중 할 수 있는 기회를 얻었다. 이 기회는 또한 사람들이 사회가 추구하는 방향을 따르는 것에서 벗어나 개인의 가치관에 따라 행동 할 수 있는 자유를 보장한다. 그러나 제한을 두지 않는 자유는 독이 든 성배 일 뿐이다. 과도한 자기중심적 사고는 모든 사람들이 본인과 동일한 상황에 놓여있을 것이라는 편협한 관점으로 이어진다. 편향은 혐오와 차별을 더욱 굳건하게 만들면서, 그 중심에 있는 사회적 약자를 고립시킨다. 개인주의 시대에, 사회가 추구하는 방향인 약자 보호는 누군가의 편향된 사고를 거쳐서 따르지 않아도 되는 규범으로 여겨질 수 있다. 그 후, 약자 보호가 위선이라는 가치관을 갖는 것은 개인의 자유라는 명분으로써 다양한 의견들 중 하나라고 인식될지도 모른다. 개인주의자들에게 사회적 약자를 보호하는 것이 중요하다고 말하는 건 그들의 사상에 반하는 강요이자 압박일까?

사회실험 프로그램에서 한 패널이 최저임금제도는 개인을 나약하게 만든다고 주장했다. 자신의 경쟁력을 높이기 위해 노력하지 않아도 물가 상승을 반영한 기본적인 소득을 얻으므로 경제적 상황을 개선하려는 동기가 약화한다는 것과 정부나 단체에 의존하는 것이 사회적 약자들이 가진 문제를 회피하게 만든다는 점이 근거였다. 비슷한 주장은 기초생활수급제도에서도 나타났다. 지속적인 지원은 복지 의존성을 높여 사회적 약자들이 자립하려는 노력을 줄이며, 지원 대상자라는 낙인효과까지 발생시키기에 도움이라는 이름으로 사람들에게 족쇄를 채운다는 입장이었다. 나는 이러한 주장들이 만들어진 이유는 편향된 관점으로 사회를 바라본 결과라고 평가한다. 개인주의자들은 각자가 가진 사상, 가치관, 상황을 종합해 오직 자신만의 시점을 형성한다. 그 시점으로만 사회를 바라보고 사람들을 대하기에, 남이 겪는 고통을 이해하는 것은 나중일이거나 심지어 고려조차 하지 않는다. 그러나 모두가 생각 할 수 있지만 간과하고 있는 사실은 본인이 사회적 약자가 될 가능성이다. 사회적 약자에 관해 생각 할 때, 대부분의 사람들은 자신이 약자가 될 수 있다는 전제를 배제한다.

앞서 언급했던 어느 패널의 주장을 다시 재고해보자. 최저임금제도가 사라진다면, 타격을 받는 것은 사회적 약자만이 아니다. 이 주장을 펼쳤던 패널과 약자로 분류되지 않았던 노동자 또한 근로환경이 악화되고 임금이 불안정해지는 등 부정적 상황에 노출 될 가능성이 크다. 극단적인 가정으로는 노동자 전체가 사회적 약자로 분류 될 수 있다. 덧붙여, 기초생활수급제도의 폐지는 사회 안전망 붕괴를 야기한다. 약자가 아니었던 사람은 예상치 못한 실업, 질병, 사고 등으로 소득을 상실한 경우에 어떠한 복지도 기대할 수 없다. 저임금을 받더라도 노동에 참여해야하며 이는 최저임금제도 상실과 같은 근로환경 악화로 이어진다. 사회적 약자를 보호하는 제도가 사라지는 것은 약자라는 기준에 기존보다 훨씬 많은 사람들이 해당된다는 의미이다.

개인의 희생을 당연시하던 집단주의가 흐릿해지고 다양한 의견들이 존중받는 분위기가 조성되는 것은 개인의 성장을 촉진한다. 개인주의는 평등을 중심축으로 두었기에 사람들은 개별적인 존재로 인정받는다. 그러나 과도한 개인주의가 이기주의로 변모하는 순간부터 평등은 훼손되며 서로를 향한 혐오와 차별을 심화시킨다. 결론적으로, 개인주의자들에게 사회적 약자를 보호하는 것이 중요하다고 말하는 것은 강압이 아니다. 개인들이 살아가고 있는 사회를 지키는 것이 자유를 보장한다. 더하여 사회적 약자에 대해서, 우리는 하미나 작가의 말을 되새겨야한다. '어떤 인간이 될지라도, 너무 두렵지 않은 세상이 되길 바란다.' 개인의 자유는 누구도 소외되지 않는 세상에서 탄생한다.

글의 매력

살면서 우리는 많은 글을 읽어보기도 하고, 써보기도 한다. 글은 우리에게 대부분 좋은 영향을 끼치는데 예를 들어 글쓰기는 개인의 창의성과 표현력이 향상되기도 하는 등 좋은 영향들이 미치지만 많은 사람들이 글을 접할 때 어려워하거나 쉽게 흥미가 떨어져 금방 손에서 놓아버리기도 한다. 이를 위해서 나는 글의 매력을 알리고자 한다.

첫 번째, 글을 읽다 보면 어휘력이 향상되고 지식 등을 알게 된다. 보통 우리가 접할 수 있는 글은 책 일 것이다. 책을 예로 들자면 책엔 수많은 지식들과 표현들로 가득 차있다. 우리가 가장 쉽게 접할 수 있는 소설도 그 안에 다양한 표현들과 몰랐던 것들을 인터넷에서 하나씩 찾아보며 이런 행동들을 통해서 우리는 큰 배움과 깨달음을 얻을 수 있다. 일상에서 소통을 하다 보면 상대가 쓰는 말들이 내가 알지 못하는 말 일 때가 있었을 것이다. 그럴 때 참 뻘쭘하고 민망한 상황일 텐데, 그런 상황들이 없기 위해서라도, 우리의 지식, 상식을 채우기 위해서라도 우리는 글을 읽을 필요가 있는 것이다.

두 번째 글을 쓰면 본인의 생각을 알게 하고 생각근육을 단단하게 만들어 준다. 우리는 살아가면서 많은 사람들을 거쳐왔을 것이다. 그 많은 사람들 중에서도 유독 생각이 짧다고 느껴지거나 혹은 생각이 깊다고 느껴지는 사람들을 만나본 적이 있을 것이다. 혹여 내가 생각이 짧은 사람이지 않을까 생각해 볼 필요도 있다. 이런 생각을 기르려면 글을 읽거나 써야 한다. 이런 활동들을 하면 전보다 더 성숙한 생각을 가질 수 있다. 특히 글을 쓰다 보면 나의 생각을 정리해서 써야 하기 때문에 그런 능력들을 기를 수 있다.

마지막으로 집중력을 기를 수 있다. 글을 읽거나 쓸 때에도 쓰인 글 또는 써야 하는 글을 정확히 이해하고 읽거나 써야 하기 때문에 우리가 평소에 생활할 때 보다 더 집중력이 필요하다 그러다 보니 글을 꾸준히 읽거나 쓰면 계속 집중력을 키울 수 있다.

이처럼 사람들이 평소엔 몰랐던 글쓰기의 매력들을 알아보았다. 부정적인 영향보단 긍정적인 영향을 많이 미치기 때문에 사람들이 이 같은 매력들을 잘 알고 글을 쉽게 접했으면 좋겠다.

웹소설의 장점 및 진로

글에는 다양한 종류가 있다. 소설, 시 등등 정말 다양하다. 그리고 과거에는 마니아 장르라는 시선을 받았던 '웹소설' 이 종이책의 약세로 점점 세력을 키워나가고 있다.
독자들의 대부분은 킬링타임용이라고 밝혔다. 종이책인 소설은 대부분 상대적으로 글씨도 많고 페이지 수도 많다. 그래서 필연적으로 한 번 읽을 때 시간을 많이 잡아먹는다. 그러나 웹소설은 기본적으로 여러 '화'로 이루어져 있다. 그래서 짧은 시간에 한화씩 보고 끊을 수 있다.

또한 스마트폰으로 볼 수 있는 것 또한 강점 중 하나이다. 종이책은 손으로 들거나 가방에 넣었을 때에 꽤 부피를 차지한다. 하지만 웹소설은 인간의 분신이라고 부르는 스마트폰으로 쉽게 볼 수있는 이점 또한 있다.

그렇다면 이런 웹소설을 작필하는 훌륭한 작가가 되기 위해서는 어떤 방법으로 실력을 키울까? 작가들이 문예창작학과를 나오고 국어국문학과를 나온다고 생각할 수 있지만 의외로 그렇지 않은 작가들이 엄청나게 많다고 한다. 물론 전문적으로 배운다면 좋을 수 있겠지만 글을 잘쓰고 스토리 전개가 좋다면 학적배경은 별 상관없다. 실제로 웹소설 작가들의 대부분은 직장인이며 부업으로 글을 쓰는 경우가 많다. 하지만 정말 전문적으로 배우고 싶다면 2~3년제의 청강문화산업대학교, 한국영상대에 웹소설 창작과가 있고 동국대학교 WISE캠퍼스가 있다.

그러면 웹소설을 쓰는 작가들은 어떤 방법으로 등단을 할까? 예전 소설 분야에서의 등단은 신춘문예에서 수상해서 등단하는 방법이 있었다. 대부분의 웹소설 분야에서의 작가들은 각종 웹소설 사이트에서 작품을 등록하고 글을 적어 올리면 끝이다. 하지만 글을 적어올리는 것 만으로는 돈을 벌 수 없다. 물론 특정 이상의 화수를 채우면 수익창출이 가능하지만 대부분의 작가들이 소리 소문 없이 인기 없이 사라지는 것은 각종 웹소설 사이트들도 대단히 골치아파 한다. 이것은 웹소설이 가진 고질적인 문제인 작가들 접근성이 좋은 대신 독자와 작가들의 신뢰가 부족하고 작가의 작품성이 떨어지는 것이다.

그래서 많은 사이트들은 신춘문예 같은 공모전을 진행한다. 많은 작가들이 이 곳에서 작품 연재를 시작하는 경우가 많다. 그 까닭은 공모전 기간에는 대부분 공모전 작품이 상단에 뜨며 사람들의 인기를 얻기가 훨씬 쉽기 때문이다. 재미가 있고 흥미롭다면 뜨는 것이 당연하겠지만 웹소설 시장이 레드오션이라고 평가 받는 것 처럼 필력이 좋다고 해서 꼭 성공하는 것은 아니기에 공모전을 참여해서 인지도를 높이려고 하는 것 이다. 글을 처음 쓰거나 실력이 부족하여도 공모전을 또한 참여하여 사람들이 보며 다양한 의견을 피력하고 이런 생각들을 작가가 읽으며 성장하는 결과로 이어지기 때문이다. 위에서 작가들이 소리소문 없이 사라지는 까닭에는 자신의 글을 사람들이 보지 않고 글만 올리면 스스로 자신감이 떨어지고 연재중단으로 치닫을 수 있기에 공모전이라는 좋은 조건을 잘 활용하는 것이 중요하다.

경제와 관련하여

관심분야경제하면생각나는직업중하나이자하고싶은일이딱히정해지지않은내가유일하게흥미롭게보고있는직업중하나인회계사에대한소개

회계사는현대경제에서없어서는안될중요한역할을담당하는전문가다. 이들은 기업의 재무 상태를 명확히 파악하고 보고함으로써, 이해관계자들이 올바른 의사 결정을 내릴 수 있도록 도와준다. 회계사의 역할은 단순히 숫자를 다루는 것을 넘어, 기업의 투명성과 신뢰성을 높이는 데 크게 기여한다. 본 글에서는 회계사의 역할, 자격 요건, 직업 전망 등을 상세히 살펴본다.

회계사는 금융, 회계, 세무학 등의 지식을 바탕으로 개인이나 기업, 공공시설, 정부 기관 등의 경영 상태, 재무 상태, 지급 능력 등의 다양한 재무 보고와 관련하여 상담해주거나 관련 서류를 작성한다.

대상 기업에서 작성한 기업의 재무와 성과에 관한 보고서인 재무제표가 적절한지 감사하고, 감사 보고서를 작성한다

기업의 회계와 결산 업무가 바르게 행해지도록 재무제표를 작성하고, 전표와 장부의 정비 및 개선에 대해 지도하는 업무도 수행한다

기업의 재무관리, 판매 정책 등에 대해 효과적인 방안을 제시하고 장단기 경영전략의 수립과 기업합병 등에 대한 경영 자문 업무를 수행하기도 합니다.

납세신고서를 작성하거나 세금에 대한 상담, 지도, 세무 소송 등을 대리하는 세무 업무도 수행한다

결론으로회계사는기업과경제의신뢰를구축하는데중요한역할을하는전문가이다. 그들은 재무 보고서 작성, 감사 및 보증 서비스, 세무 서비스, 경영

자문, 위험 관리 등 다양한 업무를 통해 기업의 투명성과 신뢰성을 높인다. 회계사가 되기 위해서는 높은 수준의 전문 지식과 윤리적 기준이 요구되며, 지속적인 교육과 전문성 개발이 필요하다. 회계사의 직업 전망은 매우 밝으며, 기술의 발전과 글로벌 경제의 변화에 따라 그 역할은 더욱 중요해질 것이다. 회계사는 기업의 성공과 지속 가능성에 기여하는 필수적인 존재로, 현대 경제에서 없어서는 안 될 중요한 전문가이다.

회계사의 전망은 향후 10년간 회계사의 취업자 수는 증가할 것으로 전망됩니다. 2019년 약 20,000명에서 2029년 약 24,000명으로 향후 10년간 5,000명(연평균 1.6%)정도 증가할 것으로 전망됩니다.

나의 진로희망학과에 대한 정보들

경영학과 마케팅은 비즈니스 세계에서 핵심적인 역할을 합니다. 경영학은 조직의 목표 달성을 위해 자원, 사람, 그리고 프로세스를 효율적으로 관리하는 학문입니다. 경영학은 재무, 인사, 운영, 전략, 리더십 등 다양한 분야를 포함하며, 각각이 비즈니스의 성공을 위해 필수적입니다.

반면, 마케팅은 고객의 욕구를 이해하고 그에 따라 제품이나 서비스를 개발하고 홍보하는 활동을 의미합니다. 마케팅은 고객 중심의 접근 방식을 기반으로 하며, 이는 시장 조사, 제품 개발, 가격 책정, 홍보, 판매, 그리고 고객 서비스에 이르기까지 다양한 활동을 포함합니다.

마케팅 전문가는 이러한 활동들을 효과적으로 수행하기 위해 다양한 기술과 전략을 사용합니다. 그들은 시장 동향을 분석하고, 소비자 행동을 이해하며, 효과적인 마케팅 캠페인을 기획하고 실행합니다. 또한, 마케팅 전문가는 브랜드 관리, 광고, 소셜 미디어, 디지털 마케팅, 공공 관계, 고객 관계 관리 등 여러 영역에서 전문성을 갖추고 있어야 합니다.

마케팅 전문가의 핵심적인 역할 중 하나는 브랜드를 구축하고 유지하는 것입니다. 이들은 브랜드 이미지와 메시지를 개발하고, 고객과의 감정적 연결을 형성하며, 경쟁 시장에서 브랜드의 차별성을 강조합니다. 또한, 마케팅 전문가는 브랜드의 인지도를 높이기 위해 다양한 홍보 활동을 계획하고 실행합니다. 이를 위해 광고, 소셜 미디어 캠페인, 이메일 마케팅, 이벤트 기획 등 다양한 채널을 활용합니다.

경영학과 마케팅 전문가는 데이터 분석 기술도 갖추고 있어야 합니다. 데이터 분석을 통해 고객의 행동과 시장 동향을 파악하고, 이를 기반으로 효과적인 전략을 수립합니다. 예를 들어, 고객 구매 패턴을 분석하여 마케팅 캠페인의 타겟을 설정하거나, 시장의 경쟁력을 분석하여 새로운 기회를 발견할 수 있습니다.

또한, 경영학과 마케팅 전문가는 강력한 커뮤니케이션 및 협업 기술이 필요합니다. 마케팅 활동은 종종 여러 부서와의 협력이 필요하며, 효과적인 의사소통을 통해 프로젝트를 성공적으로 이끌어 나갑니다. 이러한 협력은 고객 서비스 팀, 제품 개발 팀, 영업 팀 등과의 조율을 포함하며, 이를 통해 전체적인 비즈니스 목표를 달성하는 데 기여합니다.

마지막으로, 마케팅 전문가는 창의성과 유연성을 갖추고 있어야 합니다. 변화하는 시장 환경에 신속하게 대응하고, 새로운 아이디어와 전략을 도입할 수 있는 능력이 중요합니다. 이는 비즈니스가 경쟁 우위를 유지하고 성장할 수 있는 기반이 됩니다.

종합적으로, 경영학과 마케팅 전문가는 비즈니스의 핵심 구성원으로서, 조직의 성공과 성장을 이끄는 데 필수적인 역할을 합니다. 그들은 전략적 사고, 데이터 분석, 브랜드 관리, 커뮤니케이션, 그리고 창의성을 결합하여 효과적인 마케팅 전략을 개발하고 실행합니다.

조선 외교의 문제점: 조선은 왜 약해질 수 밖에 없었던건가

최근 21세기에는 갑작스러운 전쟁이 막 시작되었다. 이러한 전쟁들은 항상 영토 분쟁이나 종교 등등 관련된 전쟁들이었다. 하지만, 이런 나라들의 공통점은 어느 한 나라가 우세하더라도 그 나라와 싸울 힘이란 것을 가지고 있다는 것이다.

이러한 국가들을 보면서 우리나라의 옛 나라였던 조선을 떠올리곤 하는 데 그 이유는, 조선이라는 나라는 어느 나라가 그 나라가 일본이나 유럽 국가였다면, 그 싸울만한 힘을 가지고 있지 않다고 생각하기 때문이다.

조선이라는 나라는 당시, 중국 대륙에 있던 나라들에게 강압을 받아왔다. 대표적으로는 중국의 한 민족의 국가 주원장이라는 사람이 세운 명나라와 여진족을 통합 후 명나라를 멸망시킨 누르하치의 청나라가 있다. 이 두나라는 당시 동아시아에서 최고의 경제 강국이자 군사 강국이었다. 우리 조선은 이 두 나라의 간섭으로 이해 또한 사대를 다하기위해 두 국가의 명을 들었다. 우리의 민족의 국가 조선은 당시 두 나라가 시키는 모든 일을 강제적으로 해왔고, 명나라와 청나라는 자신의 나라가 언제 휘청거려서 분단되는 것을 고려하여 조선의 경제적인 부분과 군사적인 부분의 대한 모든 것에 제한을 두었다.

또한 조선은 항구를 개항하지 않고, 오직 명, 청에서 오는 물건만 수용하기 바빴다. 조선이라는 나라는 일본이 나중가서 메이지 유신이라는 개항을 후 미국을 만나 항구를 개항하기 바빴다는 차이점이 분명히 들어난다. 분명 조선이라는 국가도 일본과 같이 개항을 할 기회는 많았습니다. 하지만 조선은 아까도 언급했듯 명나라, 청나라에서 들어오는 문물에만 미쳐있었다.

조선의 이러한 상황이 그리 이해가 안되는 것은 아닙니다. 조선은 역사적으로만 보아도 오랑캐라는 것에 크나큰 거부감을 들러냈다.

그래서 조선은 서양 또한 오랑캐라 생각했기 때문에 오직 천자라고 칭하는 중국 국가에만 친근함을 나타내었다.

우리 역사를 보면 우리나라, 즉 한반도에 존재하였던 조선은 주권이 있었고, 자주국이라는 표현이 표시되어있다. 저는 이 글들을 보면서 들은 생각은 조선이라는 나라는 다른 나라들이 봐도 그냥 중국 대륙 안에 있는 도호부라고 밖엔 설명할 수가 없었다.

왜냐하면, 임진왜란의 시작을 알릴 때, 일본은 조선에게 "명에 가는 데 길을 빌려달라"라는 말을 조선에 보냈다. 일반 사람들이 보기엔 그냥 아무런 문제 없는 말이 아니냐고 할 수있지만, 저는 좀 다르다.

이 글을 이해하기 위해서는 그 당시 일본의 상황을 이해할 필요가 있다.

간단히 말하자면 일본의 전국 시대를 통일한 도요토미 히데요시가 전국시대의 성주(군주)들의 반발을 피하고자 명을 정벌하여 명의 땅을 주기 위해 이런 말을 한 것이다.

일본의 도요토미 히데요시는 명을 나라는 봤다고 말할 수있다. 만약 명을 나라로도 보지 않았다면, 그냥 명의 영토에 가서 그냥 살면 되는 것인데, 명을 정벌하러 간다고 조선에게 말한 것을 보아 일본은 명을 나라로 인정하였다는 것인데...우리 조선은..?

명을 정벌하러가는 데 간단히 길을 빌려달라..?
이 말은 우리 조선을 나라로도 안본다는 것 단지 조선은 명의 속국이라는 표현이 더 어울리다.

이제부터 그 이유에 대해 설명을 하겠다.

명을 정벌하러 가는 데 조선에게 길을 달라....조선은 명나라의 속국이자 일본열도와 연결되는 길이라고 일본은 생각한 것 같다. 또한 명을 정벌하면 조선도 알아서 일본의 속국(식민지)가 될 것이다라고 생각했을 가능성이 저는 크다고 본다. 물론 제가 한 말에 거짓이 많이 첨가되어 있을 수도 있지만, 역사에는 정답이라는 것이 없고, 다들 생각하기 다르다.

그리고 이 사건에서도 조선과 청나라간의 관계를 알 수있다. 바로 한국사 시간에 그리 강조해왔던, 조청상민수륙무역장정이라는 장정에서 알 수 있다. 장정이라는 것은 나라 간에 맺는 것이 아닌 일방적으로 전달된 규정에 대해 약속하는 것을 장정이라한다. 여기서 청은 조선이 자신의 속해있다고 주장했다. 그리고 청일 전쟁의 발발 후 청의 패배로 인해 시모노세키 조약으로 인해 조선은 독립국이라고 청이 인정을 했다고 하는 데 여기서 우리 조선과 청과의 관계를 명확히 알 수 있게되었다.

나는 우리의 민족의 뿌리...그리고 우리와 가까운 역사를 지닌 조선을 보고 느낀 것이 있다. 모두가 당연하게 생각하는 것이겠지만, 나라가 힘이 없으면 아무도 우리를 나라로도 잘 보지않는다. 또한 조선은 어느 조약이든 늑약이든 보면 일본이나, 명, 청과의 동등한 위치 관계에서 이루진 것이 아니라는 것을 다시 한번 알게되었고, 우리나라 대한민국이 다신 조선과 같은 역사를 반복하지 않기 위해서는 너무 한 나라에게만 오는 것을 수용하지 말고 다른 나라들과 함께 무역과 교역을 해야한다. 또한 자신의 나라가 번성해질 기회가 있다면, 그 기회를 놓치지 말아야하고, 마지막으로 우리가 해야 하는 것은 외교관이나 정치인 등등 경제 정치 분야의 사람들을 보며 이 사람이 무엇을 잘하였는지 무엇을 못하는 것이였는지에 대해서 봐야 하는 눈을 길렀으면한다. 조선이라는 나라의 대해 설명을 하며 진로 글쓰기를 마무리한다.

사교육 문제로 보는 경쟁사회 대한민국

2019년 우리나라 청소년들이 스위스 제네바의 유엔아동권리위원회를 찾아가 보고서를 제출하였다. 그리고 유엔 위원들은 한국의 사교육 문제를 보고 모두 경악을 금치 못했다. 한국의 사교육비 지출은 OECD 평균을 압도한지 오래이며, 이는 저출산 문제의 원인 중하나로 지목되고 있다. 왜 한국은 사교육에 집착하는가? 대학입학 정원은 그대로이지만 저출산으로 인하여 청소년 인구는 기하급수적으로 줄고 있다. 대학입학 정원이 입학을 준비하는 청소년의 수를 넘은 것은 이미 오래이며 이젠 누구나 마음만 먹으면, 돈만 있다면 대학 입학이 가능하다. 하지만 한국의 청소년들과 학부모는 여전히 사교육에 집착한다. 더 높은 대학, 더 높은 학과를 위해서 말이다. 사교육 문제에 있어서 중요한 것은 대학이 아니였다. 중요한건 남들보다 더 높은 성취감, 우월감에 대한 압박이 한국의 청소년들을 억누르고 있기 때문이다. 사교육을 통해 경쟁을 강화시켜 우월감 또는 열등감을 느끼게 하고 이를 겪은 우리나라 청소년들은 우리 사회의 구성원이 되어서도 우월감 또는 열등감을 쫓는다.

조선시대 과거제의 단점을 꼽는다면 많은 사람들은 양반들에게 압도적으로 유리하였음을 꼽는다. 하지만 나는 조선의 과거제와 현재 우리사회의 입시체제와 과연 얼마나 다를까싶다. 누구에게나 기회는 있었다. 다만 출발점은 다르다. 돈 많고, 인맥 좋은, 그러니까 엘리트들에게만 유리한 시험. 결국 겉만 번지르르한 부의 대물림이다.

사실, 중학교 시절까지만 해도 나는 그 누구보다 사교육 체제의 옹호자였다. 어렸을 적에 다닌 학원만 수를 헤아리지 못할 정도이며 하루에 무려 3개의 학원을 소화해내며 우월감을 쫓았다. 중학교 시절에는 학교보다 학원에 의존하며 성적을 유지했었다. 다만, 성장하면서 나는 점점 무언가가 잘못되었다는 것을 느낀다. 과연 누군가를 짓밟고 올라가는 것이 정당한가. 내가 하고 있는 이 사교육을 정당하다고할 수 있는가. 이 사교육으로 누구는 절망하고 누구는 기뻐한다. 사교육이 한 사람의 미래를 쥐락펴락한다. 사교육은 필요한가.

초등학교에서 중학교, 중학교에서 고등학교로 올라갈수록 사교육의 중요성은 높아진다. 사교육을 말리던 초등학교 시절과는 달리, 고등학생이 된

지금은 모두가 사교육을 당연시한다. 선생님들도 사교육을 인지하고 있으며 나무라지 않는다. 어떤 선생님은 학교수업만으로는 시험대비가 힘들 수 있다고 말씀하시고 어떤 선생님은 학원 다니는 것을 당연시한다.

중요한건 사교육의 유무가 아니다. 과연 공교육이 청소년의 모든 성장을 담당할 수 있는가. 나는 없다고 본다. 사실 학교 수업으로 서울대를 갔다는둥 학교에서만 열심히 했다는둥 여러 공교육의 효과를 밑받침하는 증언들이 나오고 있지만 이는 극히 일부 사례에 불과하다. 그러니까 고등학생인 나의 관점에서 보았을 때 공교육만으로 완벽히 미래와 입시에 대비하는 것은 일반적인, 그러니까 아주 평범한 학생들 입장에서는 불가능하다. 일반적인 학생들은, 사교육이 필요하다. 수요와 공급의 법칙이 있지 않은가. 이것이 사교육 수요가 늘고 그에 따라 사교육이 늘어나는 이유이다.

그렇다면 사교육 체제를 유지해야하는가. 부의 대물림, 아동청소년 인권 침해, 저출산 가속화 등등 사교육 카르텔은 여전히 많은 문제를 갖고 있다. 나는 여기서 주목해야할 점은 얼마나 시험을 공정하게 내는가, 공교육에서 배운 내용만을 시험을 내야하는가, 수능을 얼마나 반영해야하는가 등이 아니다. 진짜로 여기서 주목해야할 점은 우리 입시 체제에 대한, 아니 우리 사회에 대한 근본적인 물음이다. 경쟁 위주의, 빈부와 학력에 따라 암묵적인 신분이 생기는, 우리 사회의 구조적인 문제가 사교육 카르텔을 만들지 않았나이다.

우리나라는 한강의 기적을 이루었다. 잘 살자는 신념 하나로 온 국민이 똘똘 뭉쳤었다. 그리고 10대 경제대국을 이룬 우리나라는 근본적 물음에 부딪혔다. 그래서 우리는 잘 사는가. 사실 나는 그다지 잘 산다고 느끼지 않는다. 경제규모와 영향력은 커졌다 그래프의 수치가 올라갔고 표의 숫자는 더 커졌다. 건물은 더 높아졌고 이동 수단도 늘어났다. 하지만 나는 잘 산다고 느끼지 않는다. 경쟁에서 승리한 사람들만이 잘사는 것이 잘사는 것인가. 인간성, 인류애 그리고 사회에 대한 기여도는 잘 사는 요소가 아닌가. 사교육 문제를 통해 우리는 경쟁위주의 잔인한 사회를 경험하고 있다. 우리나라 노인의 절반에 가까운 인구가 빈곤에 시달리고 있고 빈부격차 역시 상위권을 놓치지 않고 있다. 수치상으로는 잘 산다. 하지만 경쟁에서 승리한 소수의 자들을 제외하고는 아직도 우리는 빈곤에 시달리고 있다. 어느 다큐를 보던 중 기억에 남는 인터뷰가 있다. 우리나라 초등학생을 대상으로 인터뷰를 하는 내용이였는데, 인터뷰에서 초등학생들은 하나 같이 현실적인, 돈 잘버는 직업을 골랐다. 대부분 하고 싶은 게 있었지만 현실적이지 않다고 포기했다. 꿈을 잃은 학생들과 빈곤한 노인들 그리고 경쟁에서 패배한 사람들과 약간의 잘사는 사람들로 이루어진 우리나라는 아직도 잘사는가.

학생들은 꿈을 잃었다. 청년들은 희망을 잃었다. 기적을 이뤘었던 노인들은 빈곤에 시달리고 있다. 우리나라는 잘 살지 못한다. 이 치열한 경쟁 사회 카르텔에서 벗어나지 않는 이상, 앞으로도 잘 살지 못할 것이며 사교육 문제도 해결되지 않을 것이다.

마케팅 전문가에 대해서

마케팅 전문가는 기업의 제품이나 서비스가 목표 시장에 효과적으로 전달되도록 전략을 계획하고 실행하는 전문가입니다. 이들은 소비자 행동을 분석하고 시장 동향을 파악하며, 이를 바탕으로 최적의 마케팅 캠페인을 설계합니다. 마케팅 전문가의 역할은 단순히 제품을 판매하는 것을 넘어서, 브랜드 인지도를 높이고 고객과의 장기적인 관계를 구축하는 데 있습니다.

첫 번째로, 마케팅 전문가는 철저한 시장 조사와 데이터 분석을 통해 소비자의 요구와 선호를 파악합니다. 이 과정에서 시장 세분화, 타겟팅, 포지셔닝 등의 기법을 활용하여 특정 고객층을 정확히 겨냥할 수 있는 전략을 수립합니다. 이를 통해 소비자에게 더욱 매력적이고 맞춤화된 제품이나 서비스를 제공할 수 있습니다.

둘째, 마케팅 전문가는 창의적인 광고와 프로모션 전략을 개발합니다. 이는 텔레비전 광고, 소셜 미디어 캠페인, 이메일 마케팅, 이벤트 마케팅 등 다양한 채널을 통해 이루어집니다. 이들은 브랜드 메시지를 일관되게 전달하면서도 각 채널의 특성에 맞춘 차별화된 접근 방식을 사용합니다. 예를 들어, 젊은 층을 대상으로 한 제품은 인스타그램이나 틱톡과 같은 소셜 미디어 플랫폼을 통해 홍보할 수 있습니다.

셋째, 마케팅 전문가는 고객과의 지속적인 관계 관리를 중요시합니다. 고객의 피드백을 수집하고 분석하여 제품 개선에 반영하거나, 충성 고객을 위한 특별 혜택을 제공하는 등 고객 만족도를 높이기 위한 노력을 기울입니다. 이는 고객의 재구매율을 높이고 긍정적인 입소문을 통해 신규 고객을 유치하는 데 기여합니다.

넷째, 디지털 마케팅의 중요성이 증가하면서 마케팅 전문가는 SEO, SEM, 콘텐츠 마케팅, 데이터 분석 등 디지털 마케팅 도구와 기법에 대한 숙련도도 필수적입니다. 온라인 환경에서의 경쟁이 치열해짐에 따라, 디지털 마케팅 전략의 효율성은 기업의 성공에 직접적인 영향을 미칩니다. 그리고 마케팅 전문가는 시장 환경의 변화에 신속하게 대응할 수 있는 유연성과 혁신적인 사고방식을 갖추어야 합니다. 기술의 발전, 소비자 트렌드의 변화, 새로운 경쟁자의 등장 등 다양한 요인들이 시장에 영향을 미칠 수 있기 때문에, 지속적인 학습과 트렌드 모니터링을 통해 최신 정보를 습득하고 전략을 조정하는 것이 중요합니다.

따라서 마케팅 전문가는 기업의 성장과 성공을 이끄는 핵심 인물입니다. 이들은 소비자의 심리를 이해하고, 창의적인 전략을 개발하며, 지속적인 고객 관계 관리를 통해 브랜드 가치를 극대화합니다. 빠르게 변화하는 시장 환경 속에서 지속적인 학습과 혁신을 통해 경쟁을 유지하는 것이 마케팅 전문가의 중요한 것입니다.

법과 윤리의 상충: 변호사의 딜레마

변호사는 법을 수호하고 의뢰인의 권익을 보호하는 중요한 역할을 담당한다. 그러나 변호사로서 법적 의무와 윤리적 책임 사이에서 갈등을 겪는 경우가 많다. 변호사가 직면하는 법과 윤리 사이의 딜레마를 탐구하고, 구체적인 사례를 분석하여 해결 방안을 모색하고자 이 글을 쓰게 되었다. 이 글은 변호사의 법적 역할과 윤리적 책임을 이해하고, 법과 윤리의 상충 문제를 깊이 있게 탐구하는 것을 목적으로 한다. 이를 통해 변호사가 윤리적 판단과 법적 의무를 균형 있게 유지하는 방법을 제시하고자 한다. 글은 법과 윤리의 개념, 변호사의 역할과 윤리적 책임, 구체적인 사례 분석, 그리고 결론으로 구성된다.

먼저 법과 윤리의 개념에 대해 알아보자. 법은 사회 질서를 유지하고, 정의를 실현하며, 시민의 권리를 보호하기 위해 존재한다. 법은 구체적인 규범과 제도를 통해 사회적 행동을 규제한다. 반면, 윤리는 개인과 사회의 도덕적 기준과 행동 규범을 의미한다. 윤리는 옳고 그름에 대한 판단을 바탕으로 개인의 행동을 지침하며, 사회적 조화를 이루는 데 기여한다. 법과 윤리는 상호 보완적이지만, 때로는 상충할 수 있다. 법은 명확한 규범과 제도를 통해 강제력을 가지지만, 윤리는 개인의 도덕적 판단에 기반한다. 이러한 차이로 인해 우리 사회 속에서는 법과 윤리가 충돌하는 상황이 발생할 수 있다.

변호사는 법률 자문, 소송 대리, 법률 문서 작성 등 다양한 법적 서비스를 제공한다. 변호사는 법률 지식을 바탕으로 의뢰인의 권익을 보호하고, 법적 분쟁을 해결하는 역할을 맡고 있다. 변호사는 변호사 윤리 강령에 따라 행동해야 하며, 공정성과 청렴성을 유지해야 한다. 변호사는 의뢰인의 이익을 최우선으로 하되, 법과 윤리를 준수해야 한다. 이러한 변호사는 종종 법적 의무와 윤리적 책임 사이에서 갈등을 겪는다. 예를 들어, 의뢰인의 비밀을 유지하는 의무와 사회적 정의를 실현하는 책임이 충돌할 수 있다.

예를 들어 생각해 보자. A 변호사는 기업 B를 변호하고 있다. B 기업은 자사의 제품이 인체에 해로운 성분을 포함하고 있다는 사실을 알고 있으면서도 이를 공개하지 않고 판매하고 있다. 변호사는 의뢰인의 비밀을 지키는 의무와 동시에 소비자의 안전을 보호해야 하는 윤리적 책임 사이에서 갈등을 겪고 있다. B 기업의 제품이 인체에 해롭다는 사실을 알고도 판매를 계속하는 것은 소비자의 권리를 침해하는 행위이다. 법적으로는 기업의 비밀을 유지해야 하는 의무가 있지만, 동시에 공익을 해치는 정보를 숨기는 것은 윤리적 딜레마를 일으킨다. A 변호사는 의뢰인의 비밀을 지키는 의무와 소비자의 안전을 보호해야 하는 윤리적 책임 사이에서 갈등을 겪는다. 이 가상사례는 변호사가 직면할 수 있는 법적 의무와 윤리적 책임의 충돌을 명확히 보여준다. 법적으로는 의뢰인의 비밀을 지키는 것이 중요하지만, 윤리적으로는 소비자의 안전을 보호하는 것이 더 중요할 수 있다. 변호사는 이 딜레마를 해결하기 위해 법적 의무와 윤리적 책임을 균형 있게 고려해야 한다.

변호사의 법과 윤리 사이의 딜레마는 법률 분야에서 중요한 문제로, 법의 테두리 안에서 의뢰인을 변호하는 것과 동시에 사회적 정의와 윤리적 기준을 준수해야 하는 변호사의 책임을 나타낸다. 사례를 통해 살펴봤듯이, 법률의 엄격한 적용이 의뢰인의 권리를 보호하지만, 때로는 윤리적 문제를 야기할 수 있다. 따라서 변호사는 법적 절차의 공정성을 유지하면서도 사회적 정의와 공익을 고려하고, 의뢰인의 이익을 최대한 보호하면서도 윤리적 책임을 다해야 한다.

이러한 균형을 유지하는 것이 변호사의 전문성과 신뢰성을 높이는 동시에 법치주의와 사회적 정의를 실현하는 데 기여할 것이다. 변호사는 이러한 딜레마를 해결하기 위해 법적 지식과 윤리적 판단력을 모두 활용하여 최선의 해결책을 찾아야 한다. 변호사로서의 진로를 꿈꾸는 고등학생으로서 이러한 법과 윤리의 딜레마를 깊이 이해하고, 사회적 정의를 실현하는 변호사가 되기 위해 노력할 것이다.

2. 이스라엘 팔레스타인 전쟁에 대한 탐구

이스라엘 팔레스타인을 주제로 우리 동아리는 역할을 나누어 모의유엔을 진행하였다. 그리고 이를 바탕으로 부원들이 자신들의 생각을 담은 글을 작성하였다.

이스라엘 팔레스타인 전쟁 모의유엔 보고서

이스라엘 정부는 팔레스타인 간의, 지속적인 갈등,비전과 목표를 설명하겠다고 보고했다

이사라엘에 따르면 “이 갈등은 단순한 군사적 충돌을 넘어 역사적, 정치 적, 종교적 요소가 얽힌 복잡한 문제이다. 그러나 우리의 궁극적인 목표는 명확합니다: 우리는 평화를 원한다” 라고 말했다

이어 “우리는 수 많은 테러 공격과 위협에 직면해 왔으며, 이를 방어하기 위해 필요한 조치를 취할 수밖에 없다”라고 밝혔다

또 이스라엘은“ 두 국가 해결책을 지지한다 이스라엘과 팔레스타인이 평화롭게 공존 할 수 있는 미래를 지향하며이를 위해 팔레스타인 자치 정부와 대화와 협상을 지속할 준비가 되어 있다”고 밝혔다

이스라엘은 마지막으로 우리의 과거의 갈등과 상처를 넘어서 함께 평화를 향한 새로운 길을 열고 목표를 이루기 위해서 최선을 다할 것이라고 주장했다

팔레스타인 정부는 이번 회의에서 팔레스타인이 겪고 있는 심각한 인권 문제와 난민 문제에 대해

강조했다

팔레스타인 압바스 대통령은" 이스라엘로부터 자국민을 지키는 것을 최우선으로 하여, 민간인 희생을 최소화하려는 해결방안을 모색하고 있습니다"라고 말했다

본 대사는 본국과 이스라엘이 핵심 현안들에 대한 합의를 도출하지 못하고 있는 상황에서, 두 국가가 상호 인정과 존중을 토대로 한 평화 협상과 대화를 진행할 것을 요청한다고 주장했다

팔레스타인과 이스라엘의 분쟁에 대한 생각과 국제사회의 문제점

팔레스타인과 이스라엘의 분쟁의 역사는 1917년 영국에서의 밸푸어 선언에서 부터 시작된다. 이 선언은 팔레스타인 지역의 위임통치 시절의 유대인들에게 한 약속이며 1922년 국제연맹에서 인정받았다. 그러나 팔레스타인지역의 아랍인들은 기원후 135년 이후 유대인들은 이 땅을 잃고 떠돌이 민족 생활을 하였다. 그 지역에 살던 아랍인들은 이천년 전에 살던 땅에 영유권을 주장하는 것이 매우 불쾌했을 것 이다.

게다가 영국은 또한 아랍의 하심가에게 팔레스타인 지역에 독립 국가를 세워주겠다는, 같은 영토에 다른 두 국가를 세우는 약속을 했었다. 그러나 국제사회는 독일에게 핍박 받은 유대인의 손을 들어주었고 팔레스타인에 이스라엘이 들어서게 되었다. 그러나 당연히 아랍인들은 받아드리지 못하고 분쟁이 계속되자 영국은 이 문제에 대해 해결하지 못하고 손을 떼게 되었다.

현재 팔레스타인-이스라엘 전쟁에서 가자지구의 하마스가 전쟁을 일으켰지만 팔레스타인의 아랍인들의 입장 또한 이해할 수 있다. 수 천년 동안 자신들이 살던 땅을 이방인이 차지하고 원래 그곳에 살던 아랍인을 핍박 하면 당연히 분노 하고 또한 영국이 그들에게 약속했던 독립 국가 또한 물건너간 것이기 때문이다.

그러나 이스라엘의 입장 또한 이해가 간다. 수 천년 동안 떠돌이 생활을 하던 민족이 과거의 고국으로 돌아가 민족의 국가를 재건하는 것은 그들의 오랜 염원이기도 하였고 또한 영국이 유대계에게 약속한 팔레스타인 지역의 국가를 세워 주겠다는 약속을 그들은 국제사회를 통해 이행한 것이기 때문이다.

이들의 분쟁은 나는 국제사회의 안일한 대처로 인한 분쟁이라고 생각한다. 물론 국제사회에서 많은 힘을 쓰지 못했던 아랍국가 보다 유대인들은 여러국가들에서 경제적으로 영향력을 끼쳤다는 국제사회의 냉혹함이 작용했지만, 영토분쟁 같은 민감한 사안은 상호에 의견을 최대한 취합한 후에 결정해야 했으며 심지어 아랍의 이슬람교와 유대인의 유대교의 대립으로 종교적인 문제까지도 발생하고 있는 실정으로 지금이라도 분쟁을 종식시키지 않는다면 이스라엘과 팔레스타인의 전쟁이

다른 아랍 국가의 참전이라는 전쟁에 불씨가 될 수 있다.
과거에 국제사회의 실수를 바로잡고 두 국가의 바람을 취합한 결과를 만들도록 노력해야 한다고 생각한다.

이스라엘 팔레스타인 전쟁에 대한 국제사회의 평화적 해결을 촉구한다.

2023년 10월 7일 팔레스타인 무장단체 하마스가 이스라엘에 대규모 침공 공격을 감행했다. 이에 극우정당의 인물이 총리를 맡고있는 이스라엘은 즉각적으로 반격하며 이-팔 전쟁을 알렸다. 이는 제4차 중동전쟁 이후 역대 최대 규모의 갈등으로 알려져있으며 단순 무장단체와 국가 군대의 충돌이 아닌 민간인들에게도 피해를 주는 엄연한 전쟁으로 보아야한다.

하마스가 로켓탄 공습을 넘은 지상군을 이용하여 침공을 함으로서 이스라엘 정부를 자극했다는 점은 엄연히 비판받아 마땅하다. 다만 이를 명분삼아 폭력에 폭력으로 대응한 이스라엘 측의 잘못도 없다고 볼 수는 없다. 그렇다면 이 전쟁은 이스라엘과 팔레스타인 둘 만의 책임인가? 그렇지않다.

특정 국가를 지지하며 두 국가 간의 전쟁을 부추긴 국제사회의 잘못도 없지 않아 있다. 이 상황에서 국제사회가 해야할 일은 특정 국가 지원을 통한 외교적 이득을 취하는 것이 아닌 두 국가의 타협을 촉구하며 평화적 협상을 이끌었어야했다. 이

점에서 이 전쟁에 대한 책임은 특정 공동체에 있다고 보기 어려우며 광범위한 단체 그리고 국가 그리고 국제사회에 있을 것이다.

이스라엘 팔레스타인 전쟁은 중동사회 뿐만 아니라 국제사회에 있어서 평화에 대한 큰 위협일지도 모른다. 그러나 우리는 이를 보다 더 평화로운 국제사회를 위한 기회로 보아야할 것이다. 이번 이스라엘 팔레스타인 전쟁을 평화적으로 결론 맺음으로서 국제사회의 위기대처능력을 길러야하며 서로에 대한 이해와 존중 능력을 길러야한다. 물론, 마냥 평화를 주장하며 허구적인 정책이 나와서는 안된다. 국제사회는 전쟁의 평화적 해결을 촉구하는 것을 지향하되, 결단력과 추진력있는 모습으로 현실성을 반영할 필요도 있다. 이번 이스라엘 팔레스타인 전쟁을 계기로 국제사회가 얻는 교훈이 있었으면 좋겠다.

이스라엘 팔레스타인의 전쟁속 피해자인 이스라엘

지난번에 진행하였던, 이스라엘과 팔레스타인의 영토 분쟁에 대해서 토론을 해봤다.

이스라엘과 팔레스타인의 영토 분쟁은 오랜 역사적 배경을 가지고 있으며, 양측 모두에게 크나큰 상처와 상실을 안겨준 복잡한 문제이다. 하지만 여러 역사적, 정치적, 문화적인 요인들의 모두 복합적으로 고려해 보았을 때, 이 분쟁에서 이스라엘측이 팔레스타인 측보다 더 정당한 입장을 가지고 있다.

양국은 모두 서로에게 이익이 되기위한 수단으로 역사를 드러내여 각자의 의견을 분명하게 드러낸 바 있다.

내가 생각하였을 때, 양측 다 죄는 없는 것이 분명하나, 그래도 이 나라가 잘못했는다는 것은
아마 팔레스타인이 아닌가 싶다. 그 이유는 역사적으로 보았을 때, 유대인들은 기원전 1200년경부터 이 지역에 거주했고, 기원전 1000년경 다윗왕과 솔로몬 왕 시대에 이스라엘 왕국을 건국했다. 이 지역은 유대인의 성지로, 예루살렘은 유대교의 중심지로서 주된 의미를 지니고, 여러 외세의 침

입과 지배를 받았어도, 그들의 연대감과 귀속감을 유지해왔다. 하지만 어느 민족 국가의 의해 멸망당했다. 그 후 몇 년이 흘러 팔레스타인이 정착한 것 같다. 반면에, 팔레스타인은 이 지역에 더 늦게 정착한 민족으로서, 자신들의 정체성과 국가 정체성을 확립하는 과정에서 이스라엘과의 갈등을 겪어왔다. 팔레스타인 사람들도 자신들의 권리와 주장을 가지고 있지만, 이 분쟁에서 더 큰 책임이 있다고 본다. 특히 팔레스타인의 지도자들은 종종 극단적인 방법을 사용하여 문제를 해결하려고 했고, 이는 갈등을 더욱 심화시키는 결과를 낳았다. 또한, 팔레스타인은 이스라엘의 역사와 그들의 정당한 주장을 인정하려 하지 않고, 자신의 주장만을 고집하는 경향이 있다.

역사적으로 본래 이 땅의 주인은 먼 옛날 유대인의 나라인 이스라엘 왕국이다. 그래서 나는 이스라엘 측에 손을 들어주고 싶을 따름이다.

나는 이스라엘이라는 국가 이 전쟁의 피해자라고 보고, 팔레스타인은 이스라엘의 역사는 보지 않는 이기적인 국가인 것같다.

결론적으로 두국가의 전쟁에서의 결과는 중요하지 않고, 어떤 국가가 먼저 이기적이게 행동하였나이고, 팔레스타인은 자신들의 이익을 위해 전쟁을 일으킨 바, 이스라엘은 아무것도 하지 않고, 팔레스타인의 선전포고를 받고, 원치하는 전쟁을 시작하게되어 많은 사상자를 내었다. 그러므로 팔레스타인은 이 전쟁의 주범이며, 세계의 평화와 공공의 국제 질서를 무너뜨린

세계 최악의 국가라고 나는 감히 생각한다.

이스라엘 팔레스타인 분쟁 해결을 위한 노력은 계속되어야한다.

이스라엘 팔레스타인 분쟁은 중동 지역에서 오랫동안 지속된 복잡하고 해결이 어려운 문제 중 하나입니다. 이 분쟁은 수십 년간 이어져 오면서 수많은 생명과 자원을 앗아갔고, 양측의 깊은 상처와 불신을 남겼습니다. 이 분쟁의 근본 원인, 주요 사건, 그리고 평화 정착을 위한 다양한 시도와 현재의 상황을 고찰해보는 것은 이 문제의 복잡성을 이해하는 데 큰 도움이 됩니다.

이스라엘-팔레스타인 분쟁의 근본 원인은 주로 두 민족이 같은 땅을 역사적, 종교적, 문화적 이유로 고유의 것으로 여기며 주장하는 데 있습니다. 이스라엘 민족은 고대부터 이 지역에 정착해 있었으며, 유대교의 성지인 예루살렘을 중심으로 한 땅을 자신들의 고향으로 여깁니다. 반면 팔레스타인인들은 아랍 민족으로서 오랜 기간 이 지역에 거주해 왔으며, 자신들의 정체성과 역사성을 강조하며 이 땅을 자신들의 고향으로 주장합니다.

이 분쟁의 현대적 기원은 20세기 초로 거슬러 올라갑니다. 1917년 영국의 벨푸어 선언으로 유대인 국가 건설이 지지받으며 유대인 이민이 증가했으나, 이는 곧 아랍인들의 반발을 불러일으켰습니다. 1947년 유엔은 팔레스타인 분할 계획을 제안했으나, 아랍 국가들은 이를 거부하였고, 1948년 이스라엘 독립 선언과 함께 1차 중동 전쟁이 발발했습니다. 이 전쟁으로 많은 팔레스타인인들이 난민이 되었고, 이들은 이스라엘을 자신들의 땅을 빼앗은 존재로 여기게 되었습니다.

1967년 3차 중동 전쟁 이후 이스라엘은 요르단강 서안, 가자지구, 동예루살렘 등을 점령하게 되었고, 이는 현재까지도 분쟁의 핵심 쟁점 중 하나입니다. 팔레스타인인들은 이 지역을 자신들의 국가로 인정받기를 원하며, 이스라엘은 안보와 역사적 권리를 주장하며 정착촌을 확장해왔습니다. 이러한 상황은 국제사회에서 많은 논쟁을 불러일으키며, 다양한 평화 회담이 시도되었지만 큰 성과를 거두지 못했습니다.

오슬로 협정(1993년)은 이스라엘과 팔레스타인 간의 평화 정착을 위한 중요한 시도 중 하나였습니다. 이 협정은 팔레스타인 자치 정부의 수립과 일부 자치권을 부여하는 내용을 포함하고 있었지만, 궁극적인 영토 문제, 난민 문제, 예루살렘의

지위 등 핵심 쟁점에 대해서는 해결하지 못했습니다. 이후 캠프 데이비드 회담(2000년), 아나폴리스 회담(2007년) 등 여러 회담이 이어졌지만, 여전히 해결책을 찾지 못했습니다.

현재의 상황은 여전히 불안정합니다. 가자지구는 하마스가 통치하며, 이스라엘과의 군사적 충돌이 빈번하게 발생하고 있습니다. 요르단강 서안은 팔레스타인 자치정부가 통치하지만, 이스라엘의 정착촌 확장과 보안 문제로 긴장이 지속되고 있습니다. 또한, 동예루살렘은 여전히 양측 모두의 성지로서 민감한 문제로 남아있습니다.

이스라엘-팔레스타인 분쟁을 해결하기 위해서는 양측의 타협과 국제사회의 중재가 필수적입니다. 두 국가 해법은 가장 많이 논의된 해결책 중 하나로, 이스라엘과 팔레스타인 각각의 국가를 인정하고 공존하는 방안을 제시합니다. 그러나 이 방안이 현실화되기 위해서는 상호 신뢰 구축, 정착촌 문제 해결, 난민 문제에 대한 공정한 해결책 등이 필요합니다.

또한, 경제적 협력과 인도적 지원이 중요합니다. 팔레스타인 지역의 경제적 발전은 분쟁의 근본 원인을 해결하는 데 중요한 역할을 할 수 있습니다.

이를 위해 국제사회는 팔레스타인 지역에 대한 경제적 지원과 투자를 강화해야 하며, 이스라엘도 이에 협력해야 합니다.

마지막으로, 교육과 문화 교류를 통해 양측의 상호 이해를 높이는 노력이 필요합니다. 오랜 분쟁 속에서 형성된 적대감과 불신을 해소하기 위해서는 다음 세대에게 평화와 공존의 가치를 교육하고, 상호 존중과 이해를 증진시키는 다양한 프로그램이 필요합니다.

결론적으로, 이스라엘-팔레스타인 분쟁은 복잡하고 오래된 문제지만, 해결을 위한 노력은 계속되어야 합니다. 국제사회와 양측의 협력, 상호 이해를 바탕으로 한 평화 정착이 이루어지길 바랍니다.

이스라엘-팔레스타인 분쟁: 타자의 존재

팔레스타인은 독립선언 발표 당시, 영토에 대한 명확한 합의안이 없었기에 분쟁이 끊이지 않는 국가이다. 이러한 혼란한 상황 속에서 제1차와 제2차 인티파다 발생 후 주변국인 이스라엘과 갈등을 겪는 동안 내부에선 이스라엘에 대한 온건파인 파타와 강경파인 하마스가 분열을 일으키며 각 정당은 서안지구와 가자지구의 자치행정을 분리했다. 이스라엘은 두 정당의 입장에 따라, 강경파 하마스가 집권하는 가자지구에는 봉쇄 정책으로 맞섰다. 이스라엘은 대팔레스타인 정책으로 가자지구에서 수많은 하마스 대원과 민간인을 사살하며 국제사회로부터 비판 받을만한 행위를 범했고, 네타냐후 총리를 주도로 팔레스타인 땅을 강제 합병하겠다고 발표하였다. 더하여 이스라엘은 가자지구를 지속적으로 폭격하는 채로 주위의 다른 중동 국가들과의 외교 관계를 강화하여 팔레스타인을 철저하게 고립시키는 공포적인 상황으로 연출하였다. 결국 하마스는 팔레스타인의 국제적 고립을 이스라엘의 만행을 멈추길 요구하고자 2023년 10월에 이스라엘에 대한 선제공격을 가했다.

역사가 말해주듯 팔레스타인은 이스라엘에 의한 피해국이었다. 그러나 국제사회는 지속적으로 피해를 받아온 국가가 아닌 이스라엘에게 동정을 보냈다. 평화를 추구하는 시점에서 선제공격을 행한 팔레스타인을 지지하는 입장은 곧 전쟁을 정당화하는 것이기에 다수의 현대국가가 주저할 수밖에 없다. 그러나 선진국이라 불리며 경제적으로 부유한 모든 국가들이 이스라엘을 지지하거나 하마스를 규탄한다는 점은 주의 깊게 봐야한다. 왜 여론에서 이스라엘이 모든 선진국이 지지하는 우세한 입장이 될 수 있었을까?

이스라엘은 경제적으로 탁월한 이점을 지닐 뿐만 아니라 미국과 매우 친화적이다. 이스라엘은 안보와 경제의 일정부분을 미국에 의존하고 있으며 전통적으로 미국의 굳건한 지지를 받고 있다. 미국은 친이스라엘에 속하며 매년 이스라엘에게 여러 분야의 원조를 제공한다. 두 국가 간의 돈독한 관계 때문에 미국은 '전쟁피해자'인 이스라엘의 군사적 자원 조달을 돕고 있다. 세계 질서를 뒤바꿀 수 있는 초강대국 미국을 등에 업은 이스라엘을 어떤 선진국이 배반 할 수 있을 지 생각한다면 여론전에서 나타난 결과는 너무도 당연하다. 따라서 이스라엘과 팔레스타인 간의 분쟁은 타자인 미국의 개입이 핵심으로 작용한다. 이것은 미국의 패권주의의 심화이다. 각국의 경제적 상황을 고려해야하나 미국중심 질서에 포함되려는 것이 최우선이라고 느낀다.

이스라엘과 팔레스타인 간의 분쟁은 단순히 두 국가 간의 갈등을 넘어서는 문제다. 특정 국가들의 이익이 복합적으로 얽혀 있는 이 상황에서, 팔레스타인은 경제적, 정치적, 군사적으로 어려운 위치에 놓여 있다. 미국이라는 강대국이 이 문제의 핵심으로 작용하고 있다는 점에서, 국제 사회는 보다 균형 잡힌 접근을 통해 이스라엘과 팔레스타인 간의 평화를 중재해야 한다. 평화는 강대국의 질서로부터 나오는 것이 아닌 국제사회의 협력과 소통을 통해 나온다.

마지막. 읽어주셔서 감사합니다.

2024 서해고등학교 인사동 동아리

인스타그램: hello.town_seohae

회장 전민석
부회장 이*형
담당교사 이*쁨
부원 김*원
김*준
이*지
박*현
배*은
박*지
이*민
김*연